MathStart®

洛克数学启蒙 ❸

MathStart®
洛克数学启蒙 ③

人人都有蓝莓派

[美]斯图尔特·J.墨菲　文　　[美]约翰·斯皮尔斯　图　　易若是　译

加法进位

海峡出版发行集团 | 福建少年儿童出版社
THE STRAITS PUBLISHING & DISTRIBUTING GROUP | FUJIAN CHILDREN'S PUBLISHING HOUSE

献给莫琳和兰迪——希望他们能一起分享幸福。

——斯图尔特·J.墨菲

献给蒂莉和西吉。

——约翰·斯皮尔斯

著作权合同登记号：图字 13–2023–038号

图书在版编目（CIP）数据

洛克数学启蒙. 3. 人人都有蓝莓派 / (美) 斯图尔
特·J.墨菲文 ; (美) 约翰·斯皮尔斯图 ; 易若是译
. -- 福州 : 福建少年儿童出版社, 2023.9
ISBN 978-7-5395-8232-0

Ⅰ.①洛… Ⅱ.①斯… ②约… ③易… Ⅲ.①数学 –
儿童读物 Ⅳ.①O1-49

中国国家版本馆CIP数据核字(2023)第074350号

LUOKE SHUXUE QIMENG 3 · RENREN DOUYOU LANMEIPAI

洛克数学启蒙3·人人都有蓝莓派

著　者：[美]斯图尔特·J.墨菲　文　[美]约翰·斯皮尔斯　图　易若是　译
出 版 人：陈远　出版发行：福建少年儿童出版社　http://www.fjcp.com　e-mail:fcph@fjcp.com　社址：福州市东水路76号17层（邮编：350001）
选题策划：洛克博克　责任编辑：曾亚真　助理编辑：赵芷晴　特约编辑：刘丹亭　美术设计：翠翠　电话：010-53606116（发行部）　印刷：北京利丰雅高长城印刷有限公司
开　本：889 毫米 ×1092 毫米　1/16　印张：2.5　版次：2023 年 9 月第 1 版　印次：2023 年 9 月第 1 次印刷　ISBN 978-7-5395-8232-0　定价：24.80 元

人人都有蓝莓派

熊妈妈对 4 只熊宝宝说：

"如果你们能采回足够多的坚果、蓝莓和麦子，今天晚上我就给你们烤一个豪华私房蓝莓派。你们每个人都能分到自己应得的一份！"

熊宝宝们跑到森林里，那里的坚果又多又甜。
3只熊宝宝卖力地采集坚果。

但第 4 只熊宝宝只顾着玩耍。

她一会儿爬树，

一会儿在树上荡秋千，

看都没看坚果一眼。

回到家，熊宝宝们把各自的篮子交给妈妈。

熊妈妈说："我们把这些坚果每10粒摆成一堆，多出的摆在旁边，这样很快就能知道有多少粒坚果了。"

熊宝宝们把各自采集到的坚果每 10 粒摆成一堆。

第 1 只熊宝宝采了 11 粒。		"1 堆 10 粒，摆了 1 堆，多出 1 粒。"	**11**
第 2 只熊宝宝采了 14 粒。		"1 堆 10 粒，摆了 1 堆，多出 4 粒。"	**14**
第 3 只熊宝宝采了 12 粒。		"1 堆 10 粒，摆了 1 堆，多出 2 粒。"	**12**
第 4 只熊宝宝采了 0 粒。		"摆了 0 堆。"	**+ 0**

3 个 10 加上 7

37

"一共有 37 粒坚果！
你们 3 个干得不错！"

接着，熊宝宝们跑到田野上，那里的蓝莓又大又多汁。
3只熊宝宝快速地采着蓝莓。

但第 4 只熊宝宝还是只顾着玩耍。

她跳啊跳，跑啊跑，

还开心地追赶蜜蜂，

一颗蓝莓都没去采。

熊宝宝们又提着篮子回到家。

"让我们把这些蓝莓每 10 颗摆成一堆，多出的摆在旁边，这样我们很快就能知道一共有多少了。"

熊宝宝们把各自采集到的蓝莓每 10 颗摆成一堆。

第 1 只熊宝宝采了 21 颗。		"1 堆 10 颗，摆了 2 堆，多出 1 颗。"	**21**
第 2 只熊宝宝采了 15 颗。		"1 堆 10 颗，摆了 1 堆，多出 5 颗。"	**15**
第 3 只熊宝宝采了 13 颗。		"1 堆 10 颗，摆了 1 堆，多出 3 颗。"	**13**

第 4 只熊宝宝采了 0 颗。　　　　　　　　　　"摆了 0 堆。"

$$+ \ 0$$

——————————
4 个 10 加上 9

$$49$$

"一共有 49 颗蓝莓！你们
3 个都出色地完成了任务！"

接着，熊宝宝们跑到牧场上，找到许多饱满松脆的麦子。
3只熊宝宝都在全力摘麦子。

但第 4 只熊宝宝还是只想玩。

她不停地翻跟头，

跳来又跳去，

一粒麦子都没有摘。

15

熊宝宝们回到家后，
又把篮子交给了妈妈。

很快，他们发现多出的麦子还能另外摆成一堆。

熊宝宝们把各自采摘的麦子每 10 粒摆成一堆。

第 1 只熊宝宝采了 23 粒。

"1 堆 10 粒，摆了 2 堆，多出 3 粒。"

23

第 2 只熊宝宝采了 17 粒。

"1 堆 10 粒，摆了 1 堆，多出 7 粒。"

17

第 3 只熊宝宝采了 26 粒。

"1 堆 10 粒，摆了 2 堆，多出 6 粒。"

26

第 4 只熊宝宝采了 0 粒。

"摆了 0 堆。"

+ 0

5 个 10 加上 16

6 个 10 加上 6

66

"一共有 66 粒麦子。你们 3 个真是非常棒的熊宝宝。"

熊妈妈看着它们采来的所有坚果、蓝莓和麦子，遗憾地说："恐怕这些材料不够做一个私房蓝莓派。你们当中有3个熊宝宝都在拼命干活，但是我知道，还有一个熊宝宝并没有完成自己的任务。"

3只努力工作的熊宝宝齐刷刷地看向他们的小妹妹。

她羞愧地低下头。

忽然，她跳起来，一把拿起
3个篮子，快速地冲了出去。

她先是跑到森林里
采了好些坚果。

接着又跳到田野里采了好些蓝莓。
然后又冲到牧场上采了好多好多麦子。
最后，她用小爪子紧紧提着 3 个篮子跑回了家。

她自豪地把 3 个篮子交给了妈妈。

熊妈妈说：“现在看来，你也是一个努力工作的宝宝。

“让我们把所有的坚果倒出来，每 10 个摆成一堆，
剩下的放在旁边，然后跟已有的坚果加在一起！”

"我们已经有了 37 粒坚果。"

"一堆 10 粒,摆了 3 堆,多出 7 粒。"

"熊小妹又采了 15 粒。"

"一堆 10 粒,摆了 1 堆,多出 5 粒。"

4 个 10 加上 12

"多出的坚果还能摆成一堆。"

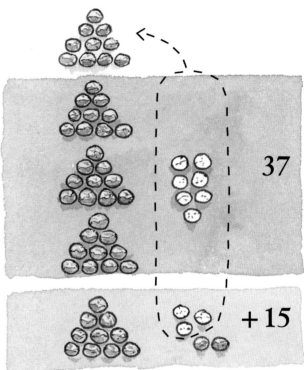

37

+15

5 个 10 加上 2

52

熊妈妈又把第 2 个篮子
里的东西倒了出来。

24

"多出的蓝莓还能摆成一堆。"

"我们已经有了 49 颗蓝莓。"

"一堆 10 颗，摆了 4 堆，多出 9 颗。"

49

"熊小妹又采了 33 颗。"

"一堆 10 颗，摆了 3 堆，多出 3 颗。"

+ 33

7 个 10 加上 12

8 个 10 加上 2

82

"哇，我们一共有 82 颗蓝莓！"

熊妈妈又把第 3 个篮子里的东西倒了出来。

"看，多出的麦子还能摆成一堆。"

"我们已经有了 66 粒麦子。"

"一堆 10 粒，摆了 6 堆，多出 6 粒。"

"熊小妹又采了 25 粒。"

"一堆 10 粒，摆了 2 堆，多出 5 粒。"

8 个 10 加上 11

66

+ 25

9 个 10 加上 1

91

"一共有 91 粒麦子。"

"太棒了！今晚，我给大家
烤一个豪华私房蓝莓派！"

27

吃完晚餐后，熊宝宝们闻到烤箱里传来一阵阵美妙的蓝莓香味。

熊妈妈说："宝贝们，我为你们的辛苦工作感到骄傲。蓝莓派已经做好了，你们每个人都可以享用一份！"

很快，桌子上什么也没有了——除了几个坚果渣、一两颗蓝莓、一丁点儿麦子，以及 4 张蓝嘴巴的甜蜜微笑。

对于《人人都有蓝莓派》中所呈现的数学概念，如果你想从中获得更多乐趣，有以下几条建议：

1. 跟孩子一起阅读故事，让孩子复述每幅图中的情节。在阅读过程中不断提问，例如："11 可以分成几个 10，还剩下几？"或者"49 可以分成几个 10，还剩下几？"

2. 鼓励孩子复述一遍故事，并在纸上用打"√"的方式记录每只熊宝宝采集的坚果、蓝莓和麦子的数量（一个"√"代表数量 1），将它们按 10 个一组圈出来。

3. 寻找一些身边的物品，比如在家里找一些蜡笔和记号笔，在海滩上捡一些贝壳，在公园里捡一些石头和树叶等，将它们按 10 个一组摆放，看看能摆成几组，还剩下几个；然后把两边的数字进行相加，看看每种物品各有多少个。

4. 跟孩子一起清点厨房储物柜里各种物品的数量，如盒子、罐头、瓶子等，并用打"√"的方式代表数量。将各种物品下面的"√"每 10 个圈成一个圈，然后算一算每种物品各有多少个。

盒子	罐头	瓶子
√√√√√√√√√√ √√	√√√√√√√√√√ √√	√√√√ √√√

如果你想将本书中的数学概念扩展到孩子的日常生活中，可以参考以下这些游戏活动。

1. 坐车时，拿出一张纸，用打"√"的方式记录车窗外驶过的小轿车、卡车或自行车的数量，然后将这些"√"每 10 个圈成一个圈。到达目的地时，与孩子一起统计：每种车各有多少辆？ 3 种车共有多少辆？

2. 散步时，带上纸和笔，用打"√"或画"·"的方式记录看到的小孩、大树、小狗或小猫的数量。把每种事物下面的"√"或"·"每 10 个圈成一个圈，最后数数画了多少个圈，再把余下的数量加上去。

3. 在书房时，找出一些蜡笔、记号笔和水彩笔等，把它们分别按照 10 支一组摆放好，剩下的放在旁边。最后计算出每种笔各有多少支？书房里所有的笔加起来共有多少支？

洛克数学启蒙

1

《虫虫大游行》	比较
《超人麦迪》	比较轻重
《一双袜子》	配对
《马戏团里的形状》	认识形状
《虫虫爱跳舞》	方位
《宇宙无敌舰长》	立体图形
《手套不见了》	奇数和偶数
《跳跃的蜥蜴》	按群计数
《车上的动物们》	加法
《怪兽音乐椅》	减法

2

《小小消防员》	分类
《1、2、3，茄子》	数字排序
《酷炫100天》	认识1~100
《嘀嘀，小汽车来了》	认识规律
《最棒的假期》	收集数据
《时间到了》	认识时间
《大了还是小了》	数字比较
《会数数的奥马利》	计数
《全部加一倍》	倍数
《狂欢购物节》	巧算加法

3

《人人都有蓝莓派》	加法进位
《鲨鱼游泳训练营》	两位数减法
《跳跳猴的游行》	按群计数
《袋鼠专属任务》	乘法算式
《给我分一半》	认识对半平分
《开心嘉年华》	除法
《地球日，万岁》	位值
《起床出发了》	认识时间线
《打喷嚏的马》	预测
《谁猜得对》	估算

4

《我的比较好》	面积
《小胡椒大事记》	认识日历
《柠檬汁特卖》	条形统计图
《圣代冰激凌》	排列组合
《波莉的笔友》	公制单位
《自行车环行赛》	周长
《也许是开心果》	概率
《比零还少》	负数
《灰熊日报》	百分比
《比赛时间到》	时间

洛克数学启蒙

练习册

洛克博克童书 策划　　陈晓娟 编写　　懂懂鸭 绘

✎ 超市里的水果是装袋出售的。请你数一数，每种水果袋子里有多少个，外面有多少个，在____上填写恰当的数字。

袋子里有____个，外面还有____个，苹果一共有____个。

袋子里有____个，外面还有____个，桔子一共有____个。

袋子里有____个，外面还有____个，柠檬一共有____个。

✎ 小朋友在玩数字碰碰车，请将下面图中数字相加得10的两辆车连线。

按照已给出的示例，圈一圈，数一数，两节车厢一共坐了多少个小朋友。

先圈出10个小朋友，<u>6</u> + <u>4</u> =10，再数一数，剩下 <u>2</u> 个，<u>2</u>+10=<u>12</u>，所以6+6=<u>12</u>。

先圈出10个小朋友，__+__=10，再数一数，剩下__个，__+10=__，所以5+7=__。

先圈出10个小朋友，__+__=10，再数一数，剩下__个，__+10=__，所以7+8=__。

✎ 小猫去池塘钓鱼，请你帮小猫圈一圈，然后想一想：小猫钓走一些鱼之后，池塘里还剩多少条鱼？

① 示例：池塘里一共有14条鱼，小猫从池塘左侧的10条鱼中钓走9条，剩余 1 条，10-9= 1 ，1 +4= 5 ，所以14-9= 5 。

② 池塘里一共有13条鱼，小猫从池塘左侧的10条鱼中钓走8条，剩余＿条，10-8=＿，＿+3=＿，所以13-8=＿。

③ 池塘里一共有17条鱼，小猫从池塘左侧的10条鱼中钓走7条，剩余＿条，10-7=＿，＿+7=＿，所以17-7=＿。

④ 池塘里一共有18条鱼，小猫从池塘左侧的10条鱼中钓走6条，剩余＿条，10-6=＿，＿+8=＿，所以18-6=＿。

✎ 丫丫正在帮老师清点玩具数量，请你仔细观察图片，数一数每种玩具有几个，并计算图中等式，在____上填写正确得数。

13-6=____

12-5=____

18-9=____

14-8=____

✏ 小熊杂货店里有许多商品，请你2个2个地数，
帮小熊数出每一种商品共有多少。

 ☐ 只　　 ☐ 只　　 ☐ 只　　 ☐ 只

✎ 小安妮家的农场里有好多好多只小羊，妈妈要求她必须数完小羊的只数才能去玩。可是，如果一只一只地数，实在是太麻烦了，你能帮她找到快速数羊的方法吗？数一数：一共有多少只小羊呢？

小安妮应该_____地数羊比较快捷，一共有____只小羊。

✎ 小朋友们一起玩猜一猜的游戏，每个人伸出一只手，数一数：有几根手指？猜猜看：每一组有几根手指，几只手？

____根手指   ____根手指   ____根手指   ____根手指
____只手   ____只手   ____只手   ____只手

✎ 露西今天和妈妈一起大扫除,她发现原来家里有这么多同类的物品。快来帮露西数一数每类物品有多少,照样子写一写。

椅子: <u> 1 </u> × <u> 4 </u> = 4 (把)　　　　筷子: ___ × ___ = ___ (根)

门口的拖鞋: ___ × ___ = ___ (只)　　　苹果: ___ × ___ = ___ (个)

小朋友们最喜欢坐小火车了，快来算一算，哪辆小火车装的人最多。在□里面画"√"。

□

□

□

✏️ 选一选，每组中右边的哪幅图是左图的一半，请在正确的□里面
画"√"。

✏️ 熊妈妈让小熊去拍照，糊涂的小熊却只拍了图形的一半。你能根
据上面一排的照片找出小熊拍的是哪个图形吗？请你连一连。

✎ 请给每个物体的一半涂色。

✎ 请你试着用笔画一画，用不同方法将下面的纸张分成相同的两半，
并将其中一半涂上你喜欢的颜色。

✎ 马上就要下雨了，一只小蚂蚁每次只能运走3粒大米。请你帮小
蚂蚁先数一数草地上一共有多少粒大米，然后把大米3粒3粒地圈
出来，再回答问题。 ____÷ 3 =____（次）

✎ 小刺猬采摘来好多山楂，每5颗山楂可以串一串糖葫芦。请你帮
小刺猬算一算，每组盘子里的山楂可以串几串糖葫芦，请在右边
空白处画出来，并完成算式。

5÷5=1（串）

____÷ ____ = ____（串）

____÷ ____ = ____（串）

马克和妈妈去超市买鸡蛋，需要自己选择打包盒来打包。马克的妈妈买了24个鸡蛋，如果选以下规格的打包盒，每种需要几个？请你帮马克连一连。

2 个盒子   3 个盒子   6 个盒子   4 个盒子

✏️ 熊大叔的甜品店推出一款新的点心，这款点心非常受小镇上的居民喜欢，大家纷纷前来购买。狐狸大婶买了3袋，10块点心装一盒，10盒装一袋。加上赠送的，狐狸大婶一共有多少块点心？

✏️ 狐狸大婶又来买糖果了！快来帮狐狸大婶数一数有多少块糖果，将正确的数字与图画连线。

  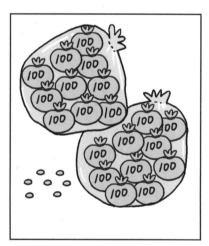

| 1303 | 2007 | 1308 |

西格、布利克斯和尼利亚去游乐场玩射击游戏。请根据大家的射击成绩，填一填小朋友的得分。

✎ 吉姆正在和安妮比赛谁在一分钟内完成的事情多。请你找一个计时器来试一试，一分钟能画出多少颗"☆"吧。

✎ 麦克打算一分钟干完一件事，请你想一想：下面哪一件事不能在一分钟内完成？请在对应的□里画"√"。

A. 吃两块草莓饼干　　B. 把被子叠好　　C. 写10个英语单词　　D. 跑800米

今天是开学第一天，安东尼和安迪一大早都好忙。请观察他们各自的时间线段图，1个刻度代表1分钟，请把他们做每件事情所用的时间写下来。

安东尼

[ ]分钟　　　[ ]分钟　　　[ ]分钟　　　[ ]分钟

安迪

[ ]分钟　　　[ ]分钟　　　[ ]分钟　　　[ ]分钟

请你将安东尼的时间线段图补充完整。

一共用了[ ]分钟。

✎ 手工课上，小朋友们打算为妈妈亲手做一条美丽的手链，作为母亲节礼物。请你仔细观察，帮他们把缺失的珠子画出来，并涂上正确的颜色。

马克来到了神奇的怪兽王国，发现每扇大门都需要密码才能打开。请你仔细观察，帮助马克找出正确的密码。

✎ 冬天马上就要到了，小蚂蚁储藏了好多好多的食物，准备过冬。请你照样子圈一圈，帮小蚂蚁估一估每一种食物的数量，并在□内填上大概的数字。

大约有30粒大米。

30 多颗

□ 多颗

□ 多颗

□ 多颗

□ 多颗

✏️ 安迪学校的合唱团正在为学校音乐节做开幕表演，请你圈一圈，估一估，合唱团里一共有多少位小演员。

我估计一共有 ☐ 多位小演员。

✏️ 图书馆的朱迪老师正在整理图书，请你帮朱迪老师估一估，书架上大约有多少本书。

估一估，一共有 ☐ 多本书。

✎ 小蝌蚪必须沿着得数是24的路线走才能找到自己的妈妈，请为它们找到最佳路线吧。

🖊 动物园里美丽的孔雀正在开屏，请你在孔雀的羽毛上写出更多得数为32的算式。

🖊 秋天到了，小朋友们需要乘坐巴士去秋游。请按照算式的结果为小朋友们找到对应的巴士，将小朋友与巴士连起来。

✎ 小猫在河边钓鱼，河里的鱼身上都有算式。请算一算：鱼被小猫
钓上去以后，应该放到哪个桶里呢？请连一连吧。

✎ 小动物们在比较体重，请你根据它们身上的体重算式，用"＞"
"＜"或"＝"表示谁轻谁重。

✎ 世界地球日就要到了，安迪和乔什打算回收废旧电池，他们每天
  记录下各自回收的废旧电池的数量。请你按要求回答下面的问题。

安迪：

周一 39个	周五 41个
周二 40个	周六 40个
周三 35个	周日 40个
周四 45个	

乔什：

周一 40个	周五 42个
周二 40个	周六 37个
周三 40个	周日 38个
周四 40个	

① 请你先帮安迪完成以下统计表格。

日期	周一	周二	周三	周四	周五	周六	周日
安迪							
乔什							

② 如果不用计算，你能得出谁收集的废旧电池多一些吗？你是怎么知道的？

✏️ 吹泡泡，算算数，请你按照示例，把答案填在〇里。

下表中每个算式都对应一个汉字，在这些汉字中隐藏着一个成语。请算出每个算式的结果，然后从左向右，将结果是3的倍数的算式所对应的汉字依次找出来，并组成成语。

32-3 一	9+6 乐	13+28 诺	4×7 开	12÷6 天
0+23 百	21-7 千	18÷6 在	17+17 疲	42-16 不
7×5 为	2×9 其	4+10 金	36÷9 此	42÷7 中

成语是：☐☐☐☐

✎ 鲍勃是镇上有名的裁缝，他做衣服又快又时尚。星星合唱团要参
加音乐节，邀请鲍勃给小演员们制作演出服。

① 做一套裤装演出服需要2米布，做一套裙装演出服需要3米布，星星合唱团
一共有8名男孩、7名女孩。鲍勃店里一共有50米布，这些布足够给合唱团
的每一位小演员制作一套演出服吗？如果够的话，还剩多少米布？

②鲍勃打算用剩余的布给合唱团的西文老师做一套漂亮的指挥服，需要请西文老师来量一量尺寸。西文老师从学校赶到裁缝店需要5分钟，量尺寸需要8分钟。鲍勃先生跟鲍勃太太约好要6点一起从家里出发去看音乐剧，他赶回家至少需要6分钟。

现在是下午5点40分，请你帮鲍勃先生画一条时间线段，看看他能否准时赶回家。

5：40pm   6：00pm

洛克数学启蒙练习册3-A答案

P2

袋子里有 **10** 个，外面还有 **5** 个 苹果，一共有 **15** 个。

袋子里有 **10** 个，外面还有 **4** 个，格子一共有 **14** 个。

袋子里有 **10** 个，外面还有 **7** 个，柠檬一共有 **17** 个。

P3

先圈出10个小朋友，**6** + **4** =10，两数一数，剩下 **3** 个，**3** +10 =13，所以 6+6= **12**。

先圈出10个小朋友，**5**、**5**，两数一数，剩下 **2** 个，**2** +10= **12**，所以 6+7= **13**。

先圈出10个小朋友，**7**、**3**，两数一数，剩下 **5** 个，**5** +10= **15**，所以 7+8= **15**。

P4

①示例：池塘里一共有14条鱼，小猫从池塘左侧的10条鱼中钓走8条，剩余 **1** 条，10-9=1，**1** +4=9，所以14-9= **1**。

②剩余 **2** 条，10-8=2，**2** +3= **5**，所以13-8= **5**。

③剩余 **3** 条，10-7= **3**，**3** +7= **10**，所以17-7= **10**。

④剩余 **4** 条，10-6= **4**，**4** +8= **12**，所以18-6= **12**。

P5

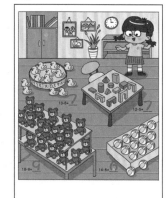

13-8= **7**

12-5= **7**

18-9= **9**

14-8= **6**

P6

手套 **20** R
袜子 **18** R
刷子 **24** R
靴子 **16** R

P7

小安妮应该 **三只三只** 地数羊比较快捷，一共有 **30** 只小羊。答案不唯一。

5 根手指	**10** 根手指	**15** 根手指	**20** 根手指
1 只手	**2** 只手	**3** 只手	**4** 只手

P8

椅子 **1**×**4**=**4**（把）   筷子 **2**×**4**=**8**（根）

门口的拖鞋 **2**×**3**=**6**（只）   苹果 **4**×**3**=**12**（个）

P9

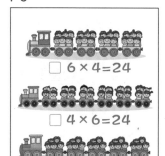

☐ 6 × 4 =24

☐ 4 × 6 =24

☑ 5 × 5 =25

P10

P11

答案不唯一。

P12

27 ÷ **3** = **9**（次）

5÷5=1（串）

10 ÷ **5** = **2**（串）

15 ÷ **5** = **3**（串）

P13

2 个盒子   3 个盒子   6 个盒子   4 个盒子

P14

P15

P16

P17

P18

P19

P20

P21

P22

P23

P24

P25

P26

P27

P28

P29

洛克数学启蒙

洛克博克童书 策划　　陈晓娟 编写　　懂懂鸭 绘

✎ 请你10个10个地圈，将数字写在___上，再比一比哪边数目更大。

✎ 图中是两只贪吃毛毛虫，请你在□里填上正确的数字。

✎ 安迪跟妈妈一起去超市大采购，买了很多商品，快来帮她数一数，填入正确的数字吧。

一共有____根火腿肠。

一共有____支铅笔。

一共有____个鸡蛋。

一共有____颗糖果。

✎ 咚咚买了好多可爱的贴纸，打算分给小朋友。请你帮咚咚数一数，咚咚还剩多少张贴纸，请在___上填写正确的数。

60-4=____（张）   30-10=____（张）

✎ 毛毛虫正在做减法，请你帮毛毛虫在□内填上正确的数字。

赛车大冲刺，请你填上正确的数字，帮小熊穿越障碍物，快速到达终点吧。

✏️ 哪些数字是2的倍数？请把它们按从小到大的顺序依次连起来，看看会形成什么图形。

秋天来了，森林里飘落下来好多美丽的落叶。数一数，算一算，将不同叶片与对应的数量连起来。

21

28

24

对应图画书 《袋鼠专属任务》

✎ 在下面4幅图里，每只小动物都拥有一些水果或蔬菜，谁的多谁的少？请按示例分别在小动物手中的卡片上填上算式，然后在方格里写上"＞"或"＜"。

✎ 小熊在迷宫里迷路了，请你仔细观察，想一想下面的算式有什么规律，帮小熊尽快走出迷宫吧。

✏ 吃比萨，每只小动物要分得一样多，小熊能分到多大的比萨？
请你帮小熊连一连。

✎ 活动课大家要一起做游戏，每个游戏都要均分组员，请你帮安迪分一分。

示例：

平均分成 2 组，每组 6 人，占总人数的 $\frac{1}{2}$。

平均分成＿＿组，每组＿＿人，占总人数的＿＿。

平均分成＿＿组，每组＿＿人，占总人数的＿＿。

平均分成＿＿组，每组＿＿人，占总人数的＿＿。

小动物们在进行计算比赛，有的小动物算对了，有的小动物算错了。请你把算错的小动物圈出来，并帮它改正。

8÷2=5

24÷6=4

42÷7=7

15÷3=5

63÷9=6

49÷7=6

27÷9=3

✎ 请你根据动物们的提示，猜猜它们的年龄。

小兔子的年龄是____岁，小熊的年龄是____岁。

✎ 赛车比赛马上就要开始了，请你计算每一辆赛车车身上的算式，将它的答案与对应的赛道连在一起。

✏️ 苏里和马文各自做了一个计数器，一颗蓝色珠子表示一个1000，一颗红色珠子表示一个100，一颗黄色珠子表示一个10，一颗绿色珠子表示一个1。请你根据图片写一写它们表示的是多少。比一比，谁的珠子代表的数大。

✏️ 小动物们在玩跷跷板，请你帮小熊在____上填写合适的数。

523   ___ 21

325   32 ___   7 ___ 6   736

小青蛙要过河，请你仔细观察数字的规律，在荷叶上填写正确的数字，帮助三只小青蛙成功跳到河对岸吧。

✎ 詹妮正在和妈妈制作明天野餐的芝士蓝莓三明治，妈妈制作蓝莓酱用了10分钟，烘烤面包用了30分钟。准备就绪后，妈妈发现没有芝士了，詹妮用10分钟跑去便利店买来芝士。最后一步就是把芝士夹在面包中间，再把美味的蓝莓酱涂抹在面包表面，这一步詹妮和妈妈只花了10分钟就完成了。请你用线段图把制作芝士蓝莓三明治过程表示出来吧。

请你用线段图把制作芝士蓝莓三明治过程表示出来（注意：可以用一条线段表示10分钟）。

大卫有个坏习惯，做事总是拖拖拉拉，更糟糕的是今天早上大卫又起晚了。请你根据时间线段图，想一想：大卫能在8点前赶到学校吗？

✎ 仔细观察每组图案的排列规律，想一想下一个图案是什么。请你
　　在方格中圈出正确的图案。

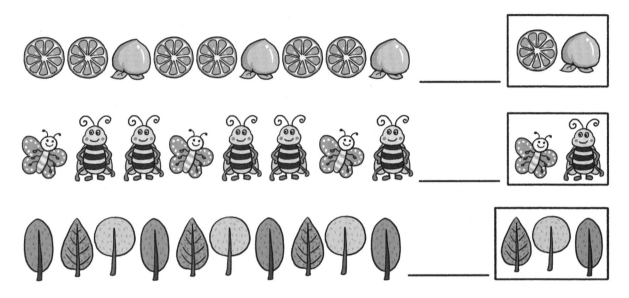

✎ 安妮家有一个漂亮又准时的鹦鹉钟，那
　　是安妮的爷爷留给她的。当鹦鹉钟面上
　　显示以下时间时，钟里的小鹦鹉都会准
　　时跳出来并发出悦耳的歌声，你能预测
　　下一次鹦鹉跳出来唱歌是几点吗？

安迪新买的毛衣上的扣子掉了一颗，你能根据扣子的排列规律，帮安迪找到她掉落的扣子吗？

A 　　B 　　C

✎ 狼大叔决定自食其力，自己种田，可是辛辛苦苦忙了一天，只开垦了一小块农田。请你画一画，估一估，狼大叔要把图中全部农田开垦完，需要___天。

✎ 小朋友们一起喝果汁，有人喝得快，有人喝得慢。估一估，图中的每个杯子还有多少毫升果汁。

250毫升   大约＿＿毫升   大约＿＿毫升

✎ 快下雨了，小蜗牛赶紧朝着家的方向爬。请你看图估一估，还有多少厘米它就能到家了。

我已经爬了10厘米了。

还有＿＿厘米就到家了。

✎ 请根据算式的计算结果，帮小动物找到它的好朋友，把它们用线连起来。

 12+33

 19+30

 27+26

 23+18

 65-12

 21+24

 53-4

 60-19

✎ 粗心的小猴不小心把墨水弄洒了，弄脏了作业本，请你帮小猴在弄脏的地方填上正确的数字。

____+9=25

45-____=19

____-38=22

29+____=56

赛车障碍赛开始了，赛道上有金币也有石头，赛车收获金币分数就会随之增加，撞到石头分数就会相应减少，最终分数最高的赛车将会赢得比赛。请你算一算，并圈出哪一辆赛车会赢得比赛。

✎ 小熊必须踏着计算结果是4的倍数的算式，才能找到回家的路，请你为小熊找到正确的路线吧。

海盗在一座美丽的小岛上发现一箱宝藏，可是宝箱上有一个密码锁，只有根据提示将正确的密码填入密码锁，才能顺利打开宝箱。

运用魔法来猜猜数字。根据图中提供的线索，你能猜出哪个数字藏在魔术师的帽子里吗？

这个数不超过50。
这个数的个位和十位相加是3的倍数。
这个数被5整除余数是2。
这个数的一半不是整数。
这个数的个位上的数字比十位上的数字大。

寻找共同点。题目中的数有什么共同点？答案又有什么共同点？
快来找一找吧。

2个1是 _____

8的一半是 _____

24÷4是 _____

16的一半是 _____

2个5是 _____

24的一半是 _____

2个7是 _____

这些数字的共同点是 _____

小鸽子们去送信，但有3只迷糊的小鸽子迷路了。请你帮它们回到它们所在的队伍，用线把它们和队伍分别连起来。

爷爷今年已经93岁高龄了，但他依然精神抖擞，这是因为他有着极其规律的生活习惯。

爷爷的生活时间表

√　6:40~7:00 起床洗漱

√　7:01~7:30 吃早点

√　7:31~8:00 看当天的报纸

√　8:01~9:15
　　去公交站等车

√　9:30 到公园喂
　　可爱的流浪猫

√　11:30~12:30 去卢西太太的比萨店
　　点一份墨西哥经典口味比萨

√　……

①请你预测一下：爷爷上午10点在做什么呢？

②爷爷的早餐很简单，只需要一杯咖啡、一颗水煮蛋和一块芝士火腿三明治，请你根据时间线段算一算爷爷需要多久才能准备好早餐。

冲泡	需要8分钟	
煮	需要5分钟	
制作	需要3分钟	

洛克数学启蒙练习册3-B答案

P2

P3

P4

P5

P6

P7

P8

P9

P10

P11

P12

P13

P14

答案不唯一。

P15

P16

P17

可以

P18

10 点

P19

P20

P21

还有 5 厘米就到家了。

P22

P23

35   20   12

P24

P25

P26

答案：27

P27

2 的倍数

P28

P29

16 分钟

洛克数学启蒙

练习册

洛克博克童书 策划　　陈晓娟 编写　　懂懂鸭 绘

✎ 圈一圈，数一数，填一填。

① 冬天就要来了，三只小松鼠各自摘了许多橡果准备过冬。请你帮小松鼠圈一圈、数一数，它们各采摘了多少颗橡果。

＿＿个十和＿＿个一，一共＿＿颗。　　　＿＿个十和＿＿个一，一共＿＿颗。

＿＿个十和＿＿个一，一共＿＿颗。

② 试着算一算，三只小松鼠一共采摘了多少颗橡果。

＿＿＋＿＿＋＿＿＝＿＿（颗）

两只小熊采来好多山楂，熊妈妈打算给小熊们做糖葫芦吃，每10颗山楂串一串。请你帮小熊给下面的糖葫芦补画上山楂，再数一数，一共有多少颗山楂。

13+17=____（颗）

16+14=____（颗）　　26+8=____（颗）　　37+23=____（颗）　　35+23=____（颗）

✎ 请按示例，将正确的数字填到□内。

✎ 请按示例，完成计算，并填写上正确答案。

32-18=14

45-9=____

57-34=____

每条鱼身上都有一个算式，请算一算，并将结果进行排序。

62-40

98-9

62-24

82-35

67-21

40-17

[ ] > [ ] > [ ]   [ ] > [ ] > [ ]

马克正在做数学题，淘气的猫咪把墨水弄洒了，正好弄脏了马克的作业本，请你猜一猜墨水遮盖住的可能是什么数。

✎ 请把3的倍数的数字按从小到大的顺序依次连起来，看一看是什么
图形。

小动物们丢了东西，请你顺着它们来时的小路，找一找它们分别丢了什么。

✎ 琳琳在商店里购物，你能根据琳琳的购物清单算出她买零食花了多少元吗？

✎ 小狗邮递员去送信，请你帮它连一连，找到每封信对应的信箱吧。

✎ 小兔子种胡萝卜，请你帮小兔子数一数，它一共种了多少根胡萝卜。

_____ × _____ = _____（根）

✏️ 比一比两边物体的大小，将"＞"或"＜"填写在○内。

小熊去参加秋游活动，熊妈妈给小熊准备了一份美味的蛋糕，可是小熊刚想吃就遇到一点小问题。请你借助右边的图形，分一分，画一画，帮小熊解决问题。

想一想，小熊最后只分到了蛋糕的 $\dfrac{1}{\boxed{}}$。

✏ 圈一圈，算一算。

① 13个气球，每4个气球绑成1束，可以绑成＿＿束，还剩＿＿个。

② 19根骨头，平均分给4只小狗，每只小狗可以分到＿＿根，还剩＿＿根。

✏ 有24只小蚂蚁要过河。请仔细观察画面，想一想：至少需要多少片叶子，小蚂蚁才能全部过河？请写出算式。

爸爸妈妈一起带小利去游乐场玩海盗船，可是小利排了好久都没有排上。请你帮小利计算一下，他要等多久才能排上。

✏️ 小杰和科科正在玩猜数游戏，你能帮他们猜出来吗？

这是一个三位数，百位上的数字是个位上的数字的3倍，十位上的数字比个位上的数字的2倍还多1。

A 953　　B 652　　C 371　　D 173

这是一个几千几百的数，这个数比3000大，比4000小，接近3500。

A 2980　　B 4001　　C 3408　　D 3920

森林里正在举行田径运动会，100米赛跑马上就要开始了。请你帮裁判按照序号从小到大的顺序把每个运动员安排到正确的赛道上。

秋天来了，小动物们收获满满。请你根据它们采摘的苹果的数量，按照从大到小的顺序给它们排个序吧。

☐ > ☐ > ☐ > ☐

✏️ 体育课上，波比、小杰、肯尼、科科测试50米跑，你能根据老师的成绩单，回答下面的问题吗？

波比：8秒
小杰：11秒
肯尼：9秒
科科：12秒

①谁跑得最快？
　A. 波比 B. 小杰 C. 肯尼 D. 科科
②谁跑得最慢？
　A. 波比 B. 小杰 C. 肯尼 D. 科科
③请你试着画时间线段图，最快的比最慢的少____秒。

爷爷家的钟表总是走走停停，请你帮爷爷在横线上标出现在的时间吧。

_____

_____

_____

_____

_____

✎ 大熊伯伯最喜欢打网球，请你按规律仔细观察，画出最后一幅图中网球的数量，并在□内填上正确的数。

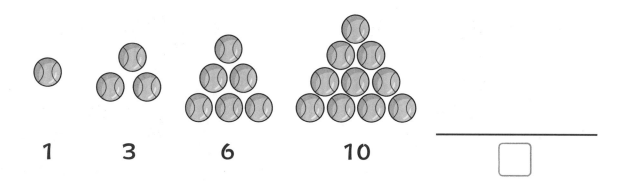

1   3   6   10   □

✎ 赛车场停了四排赛车，当赛车手准备开始比赛时，裁判员却发现每一排都有一辆赛车停错了位置。请你仔细观察每排赛车上的数字之间的规律，找出停错位置的赛车并改正。

蓝精灵要派出一位最聪明的精灵潜入格格巫的城堡救出蓝妹妹，格格巫设置了很多陷阱，只有找出正确的数并填入横线上，才能顺利通过。请你仔细观察，帮助蓝精灵救出蓝妹妹吧。

小治最喜欢读书了，他正在看一本故事书。请你估一估，这一页大约有多少个字（包括标点符号在内）。

> 一条小溪是各种可爱的东西的家。小红花站在那儿，只顾微笑，有时还跳起好看的舞来。绿色的草上缀着露珠，好像仙人的衣服，耀得人眼花。水面上铺着青色的萍叶，矗起一朵朵黄色的萍花，好像热带地方的睡莲——可以说是小人国里的睡莲。小鱼儿成群地来来往往，细得像绣花针，只有两颗大眼珠闪闪发光。青蛙老瞪着眼睛，不知守在那儿干什么，也许在等待他的好朋友。水面上有极轻微的声音，是鱼儿在奏乐，他们会用他们的特别的方法，奏出奇妙的音乐来。

安安去超市买零食，排队结账时才发现自己只带了50元。请你根据购物清单估算一下，安安带的钱够不够。

✎ 儿童节就要到了，小朋友们纷纷列出想要的礼物。请你帮小朋友们找到各自对应的礼物，并将他们与礼物连起来。

7+8-5

23-10+4

50+40-70

27+9-18

76-40-21

17

18

20

10

15

✎ 小猫和妈妈一起去钓鱼，贪玩的小猫总是三心二意，还不小心打翻了猫妈妈的桶。请你帮小猫算一算，最后它和妈妈还剩多少条鱼，请在___上填写正确的数，在○内填入正确的运算符号。

___ ○ ___ ○ ___ = ___（条）

✎ 大家都在为地球日活动贡献自己的一份力量。安安、劳拉、马文利用课余时间收集了许多铝制饮料罐。请你根据提示，在收集最多饮料罐的小朋友下面画"√"。

劳拉　　　　　马文　　　　　安安

✎ 请将算式得数是8的涂成蓝色，将得数是9的涂成粉色，将得数是
6的涂成紫色。看看下面隐藏着什么图案。

赛车比赛马上就要开始了，每辆车出发时的起始分值是相同的，按照赛道提示，最终分值最高的为冠军。请你在终点的小旗子上标出赛车手的名次吧。

✏️ 估算一下，将正确的数填到横线上。

大树高约____米。

总共约有____辆车。

一条长椅大约可以坐下2~3个人。

公园里的这些长椅，
最多可以坐____人。

烤一盘饼干大约需要9分钟。

烤三盘饼干大约需要____分钟。

吉姆和他的小伙伴们正在玩卡牌游戏，可是突然闯进来的小狗把每个人的卡牌顺序弄乱了。你能根据下面的线索，重新将每个人与相应的卡牌进行连线吗？

吉姆的卡牌上的数字在400至500之间。
科科的卡牌上的数字比500大比1000小。
安安的卡牌上的数字最接近1000。
苏珊的卡牌上的数字百位是个位的3倍。
马丽的卡牌上的数字最接近500。

✎ 鸭子叔叔走到哪里都会带着它心爱的表，请你把正确的数填在□里，并帮鸭子叔叔把最后一幅图中的钟表画出正确的时间。

每一个宝箱需要一张密码卡才能开启。请先找到规律，在□内填入正确的数，再根据规律画出最后一个宝箱的密码，帮助小精灵打开宝箱。

2　　　3　　　4

请你根据图中的信息，给下面打乱的图填入正确的序号（按时间先后排序）。

洛克数学启蒙练习册3-C答案

P2

2个十和3个一，一共23颗。 1个十和6个一，一共16颗。

3个十和7个一，一共37颗。

$23 + 16 + 37 = 76$（颗）

P3

$13+17=$ **30**（颗）

$16+14=$ **30**（颗） $26+8=$ **34**（颗） $37+23=$ **60**（颗） $35+23=$ **58**（颗）

P4

$32-18=14$ $45-9=$ **36** $57-34=$ **23**

P5

$62-40$ → 22 $82-35$ → 47
$98-9$ → 89 $67-21$ → 46
$62-24$ → 38 $40-17$ → 23

$89 > 38 > 22$ $47 > 46 > 23$

答案不唯一。

P6

P7

P8

23

P9

$4 \times 9 = 36$（根）

P10

P11

想一想，小熊最后只分到了蛋糕的 $\dfrac{1}{8}$

P12

①可以摆成 **3** 束，还剩 **1** 个。 ②每只小狗可以分到 **4** 根，还剩 **3** 根。

4片叶子
$24 \div 7 = 3$（片）……3（只）

P13

18分钟

P14

P15

P16

P17

P18

P19

P20

P21

P22

P23

P24

P25

P26

P27

P28

P29